EDITORAS ASSOCIADAS

Ricardo
Massara
Brasileiro

bichos

Para Josana e Francisco.

era uma vez
um burrinho pedrês
e esse burrinho carregava tanta pedra
mas tanta pedra
que carregou toda uma montanha
e dela levou um tanto para aqui
e um tanto para lá
um tanto para um
como para outro lugar
e as pedras que o burrinho levou
seja para aqui
seja para lá
as pedras que o burrinho levou
seja para um
seja para outro lugar
as pedras ficaram
mas o burrinho
ah
o burrinho
o burrinho se foi

essa é a estória de uma traça
mas não de uma traça qualquer
é a estória de uma traça que adorava estórias
e de tantas estórias gostava a traça
que resolveu morar dentro dos livros
e gostava tanto dos livros
que neles ficava todo o tempo
não saia para o trabalho
não saia para o supermercado
não saia nem mesmo para o jantar
um dia uma pessoa que também
gostava de livros
mas que também poderia ser
uma pessoa que não gostava nada de livros
e que provavelmente era uma pessoa
que não gostava nada de livros
mas que também não gostava nada de traças
essa pessoa encontrou a traça
e, desse encontro,
a traça, coitada, saiu destroçada

agora é a vez do leãozinho
da estória do leãozinho que
desde cedo
muito bajulado por seu pai
que se achava um tipo rei leão
e por sua mãe
que se achava um tipo rainha leoa
o leãozinho
desde muito cedo
mostrou suas garras
suas garras apareceram primeiro na sua casa
apareceram para o seu pai e para a sua mãe
e apareceram depois para os animais de menor
porte
para aqueles mesmos animais que
muito no começo eram seus amigos e
que ele até via com ternura
já para outros animais
os que o leãozinho reputava mais fortes
e que eram mais fortes que o leãozinho
para esses animais

o leãozinho nunca mostrou as garras
para esses outros animais
o leãozinho tinha as mãos de seda
só não sabia o leãozinho
que para esses outros animais
o leãozinho era um animal de pequeno porte
um animal de pequeno porte que fazia
com que as mãos dos animais maiores
fossem ainda mais sedosas

mas tem também a estória de um outro
leãozinho
esse outro leãozinho
também como o primeiro
foi igualmente bajulado
por seu pai e por sua mãe
que o acreditavam um príncipe
esse leãozinho
também muito cedo
mostrou suas garras
primeiro
para seu pai e para sua mãe
depois
para os animais de pequeno porte que
muito no começo eram seus amigos e
que ele até via com ternura
também as mãos desse leãozinho
também elas
eram de seda
mas de uma seda mais mole
sem nenhuma resistência

uma seda que não dava nem para adular
esse leãozinho também se achou rei
achou que tinha alguns súditos
no entanto, o reinado que ele achou que tinha
não durou muito

há também a estória da pequena leoa
a que foi criada como se fosse uma princesa
essa também cresceu
mostrou suas garras a uns
sempre para os mesmos
e suas mãos e sua boca de seda a outros
também sempre para os mesmos
mas tinha um grande amargor
ninguém a tinha mais como princesa

chegou a vez do cão
do cão e da cadela que tinham uma
doença muito singular
eram hidrófobos de uma estranha hidrofobia
de uma hidrofobia que não tinha causa
microbial ou bacteriana
era uma hidrofobia aprendida
uma hidrofobia aprendida no lar
na casa
no clube
na classe
aprendida não muito dos professores
esses costumavam curar essa doença
aprendida
seguramente
por razões microbiais e bacterianas

essa é uma estória que talvez
vocês já tenham ouvido por aí
é a estória de um lindo canário que foi
engaiolado demasiado jovem
seu viço e sua vitalidade faziam-lhe
muito cantar
cantava
cantava
cantava
ganhava em troca uma pouca comida
umas migalhas
uma mirrada ração
com o passar dos anos
o canário até continuou cantando
mas um canto sem encanto
que pro canário talvez ainda soasse belo
um canto pra inglês ver
seus olhos também se encheram de miragens
miravam e miravam
mas não viam qualquer aramado

agora é o caso da onça
da onça escaldada
meio viva
meio morta
da onça sem nenhuma expressão
é que a onça se meteu a entregadora
e num ZÁS!!!
entregava um serviço aqui
e um serviço acolá
um serviço em um e em outro lugar
e cada vez que a onça ZÁS!!!
sua pressa era tão grande
que uma das suas pintinhas caía
e cada vez que a onça ZÁS!!!
uma sua pintinha caía em qualquer lugar
e a onça nunca tinha tempo de as recolher e colecionar
e, em não muito tempo,
a onça já estava sem nenhuma pintinha
mas com um tantão de ZÁS!!!

já que falamos de pintinha
que tal tratar da estória da pintinha
que antes era ovo
e depois franga e galinha?
não?
não quer saber dela?
já sabe que terminará na panela!

que tal, então, a estória de um outro cão?
um cão enorme e valentão?
esse não era nem muito amigo
e nem muito fiel
era só mais um cão de aluguel

do pirilampo?
da corvina?
das sardinhas?
das sardinhas, não?!
sempre juntas naquela latinha
e só enganam
sua fome e a minha

do pirilampo então?
bicho esquisito!
por que não chama logo vaga-lume?
esse é um lume que vaga e se
encandece por aí
e o pirilampo?
um lampo que piri?
um piri que lampo?

e a corvina?
a corvina “intelectual”
construiu sua vida entre aspas
seu melhor era só citação
entre as aspas
outras aspas
outras aspas

chegou a vez da hiena
da hiena sorridente
se vocês virem um documentário na tv
ou na internet
vão ver que a vida da hiena não é só sorrisos
mas essa era uma hiena sorridente
uma hiena que gostava de sorrir sempre
sempre que alguém se dava mal
e sorria e ria e sorria
e dava até gargalhada
só mesmo não sorria de si

tem também o caso da joana reformista
da mulher do joão-de-barro
qual o caso dela?
é que ela sempre topava uma reforma
um puxadinho aqui
arredava a parede mais pra lá
um piso novo por ali
uma obra que nunca iria acabar
era assim que ela chacoalhava a vida

a joana tinha umas amigas curiosas
mas tinham afinidades e eram amigas
de verdade, tanto quanto se pode ser
uma trocava todo o guarda-roupa de
poucos tempos em tempos
do rosa para o azul
do azul para o branco
do branco para o vermelho
e do vermelho para o negro
quando ficava mais gordinha

a outra gostava mesmo é de se mudar
de endereço
ia de casinha grande para casinha pequena
de casinha pequena para casinha grande
de área privativa para duplex
de duplex para área privativa
ela gostava mesmo era de se mudar
e ficar tudo igual

o cão salame chinês
vira e mexe
cofia a barbicha
mas é mesmo candidato preferencial
a ser embutido em salsicha

o falcão careca americano
primaz ave de rapina
com seus muitos negócios por ano
tinha sempre que estar por cima
não querendo aceitar a natureza
veio-lhe uma ideia na cuca
deixou a vergonha de lado
e meteu logo na testa uma peruca

a secretária tanajura queria um emprego
e tudo poderia aceitar
só tinha mesmo uma exigência
uma boa cadeira

a formiga cida estava cansada de tudo
não queria saber mais de festa
nem de salão
nem de amigas
a formiga cida, coitada,
descobriu que estava com lombriga

o miquinho amalucado
montado em seu carrão
o miquinho amalucado
de maluco não tem nada não
o miquinho amalucado
só precisa do possante
que assim ele se acha
um tipo mais galante

era um animalzinho
que nasceu como zebra
depois se descobriu enganada
era zebra que parecia
mas era uma burrinha com listras pintadas

a codorna professora de estética
achava que muito sabia
em casa não enxergava o espelho
de esteta nem nada tinha

a raposa muito esperta
caiu num autoengano
de tanto que era sabida
foi por todos suprimida

o pavãozinho magrelo
queria muito ser querido
descendia de uma linhagem não muito
antiga de pavões
mas sustentava seu título com orgulho
o pavãozinho admirava sobremodo o
vizinho galo, por seu pujante cocoricó
vez em quando o pavãozinho aprumava
as plumas e trovejava o canto
de um pavãozinho magrelo

a cegonha
seca
elétrica
eletrizante
num estranho balé
feria o ar
com seus membros a embalançar

o peru
gluglugluglugluglu
e os outros perus
gluglugluglugluglu
caminhavam no terreiro como tanques
de guerra
não havia galo ou ave para fitar-lhes de
frente
e o peru
gluglugluglugluglu
e também os outros perus
gluglugluglugluglu
bons cristãos que
gluglugluglugluglu
combatiam o bom combate
com amêndoas, bacon, fios de ovos e passas
na ceia de
gluglugluglugluglu

o passo-preto escovadinho
deixou de lado o assanhaço
da antiga vizinhança
e o cano alto gigantão
pra ostentar
agora
o brilho
sem cadarço
da prancha de vinil

essa é a estória da andorinha
da andorinha vai com as outras
da andorinha que pra não voar sozinha
acompanhava as demais
a andorinha tinha até alguma consciência
sabia bem que lado tomar
mas com nem muita pressão das amigas
e com a desculpa de uma asa machucada
voava sempre direita

o pica-pau de voo breve
e sem qualquer autonomia
por ideologia ou má-formação
engrossava o coro dos que picavam seus galhos
mas é também por seu pequeno alcance
e por seu curto pavio
que ele logo ficaria
a ver navios

a coruja sabichona
sabia de tudo um tantinho
era o quanto se encaixava
no seu cérebro de passarinho

o verme puxador
começou a carreira com carros
subiu rápido na vida
arrastando um tanto de sacos

a ave bicuda tem um nariz estrangeiro
a ave bicuda tem um mustache estrangeiro
a ave bicuda tem uma arrogância estrangeira
a ave bicuda vem de bordéus

a lombriga da cida estava muito bem de vida
orgulhava-se pra mais de metro
mas sofreu um grande revés
e definhou com um amargo na boca

a girafa cabeleira
com sua peruca amarela
do alto de suas antenas
não achava ninguém como ela
do alto de sua soberba altura
a girafa cabeleira antenuda
só mesmo não sabia
que um dia
alguém lhe chutava a bunda

à pomba branca
– que não era nada da paz –
faltava um encontro com o saci
de carapuça vermelha
com tudo

a cotovia desiludida
caiu numa nova ilusão
desiludiu-se e iludiu-se de novo
uma vida de samba-canção

o pequeno pônei um dia
deixou-se montar por um caubói
no pelo
sem sela
sem baixeiro
somente esporas e bridão
em cima dele o caubói cercou toda
uma manada

índice

Catalogação na Publicação (CIP)

B823

Bichos / Ricardo Massara Brasileiro. - Belo Horizonte : Quixote+Do Editoras Associadas, 2019.

96 p. (Bichos ; 1)

ISBN da coleção 978-85-66256-45-1
ISBN da obra 978-85-66256-46-8

1. Poesia brasileira. I. Título.

CDD: B869.1

Bibliotecária responsável: Fernanda Gomes de Souza CRB-6/2472

Autor Ricardo Massara Brasileiro
Revisão Valter Braga
Projeto gráfico Ana C. Bahia, Ricardo Massara Brasileiro
Diagramação Ana C. Bahia
Ilustração da capa Ricardo Massara Brasileiro

Editores
Alencar Perdigão, Cláudia Masini, Luciana Tanure, Thásia de Medeiros

Quixote+Do Editoras Associadas
www.quixote-do.com.br
Rua Fernandes Tourinho, 174
Belo Horizonte, MG, Brasil
Tel: (31) 3227-30-77

Fontes PT Serif e PT Sans
Papéis Pólen Bold 90g/m^{2}. e Cartão Supremo 250g/m^{2}
Impressão Formato Artes Gráficas